JN125746

詩集　蜜蝋の花

野田 明子
Noda　Akiko

石風社

表紙カバー装画　甲斐大策（『聖愚者の物語』より）

詩集　蜜蝋の花◉目次

イラン想詩

生詩

死詩

無空道

詩集　蜜蝋の花

イラン想詩

夕暮れと赤い記憶

イラン革命[*1]前後のこと
毎日が旅のようであった
学校に通う道　人や車が行き交う道　羊の群れが歩いていた
羊と羊飼いのおじさんは学校の近くの空き地で一休みしていた
夕暮れ前には
背中に赤い印のついた羊は首を掻き切られ一生休みになっていた
赤信号で止まった車の窓を拭く子と目がよくあった
瞬きしない目は濁りもなく夕暮れのように鈍く光っていた
生ぬるい夕暮れなると　どこからともなくアザーン[*2]が聞こえてきた
音にのってやってくる鬨（とき）の声のようで
みえないがそこにあったかみさまのようで

イランイラク戦争[*3]が始まってイラクの爆撃機が夕暮れにきた時

地下室に住む戦争で足が悪くなったアガーが
こっちにこいと招き入れてくれ　震える手をクラーン[*4]において
アローホアクバル　～神は偉大なり～　と目を光らせていった
彼らのかみさまはあの時
本の中にいたのだろうか　言葉と声の中にあったのだろうか
戦争が終わって二十数年後　住んでいた家を再び訪れた時
見知らぬ老人が家に招き入れてくれた
アガーのいない地下室の前に立った時
爆撃機から生ぬるい血を浴びたように飛び散った赤い爆弾を思い出した
生ぬるい夕暮れに連打された　赤い背中と赤い信号と赤い爆弾の記憶だ

＊1　一九七八年一月に起こった革命。亡命中のホメイニ師を首班にしてそれまでの王政を排したイスラム革命
＊2　イスラム教への礼拝の呼びかけ。呼びかけは「アッラーフ・アクバル（神は偉大なり）」で始まる
＊3　一九八〇年九月～八八年八月にかけて、イランイスラム共和国とイラク共和国の間で行われた戦争
＊4　コーラン

ある大使館員の死、ある銀杏の死

イラクで大使館員が二人
銃撃されて死んだ
防弾ガラスでなく
至近距離から無数の穴をあけられて

彼らのやろうとした仕事は
頓挫したままだ
イラクの人を置き去りにして
どうやら　石油と放射能と金をふりまくものがいるらしい

私が子供の頃
イランではイラクとの戦争が起こり
空から鉄の雨が降った

遠くても大きな爆撃の音はいつも聞こえてきた

イラン大使館にも
鉄の球は時折飛んできていたが
ニュースにさえならなかった
空から飛んでくる鉄のほうに気をとられていたので

父はイランで
イラン人のように口ヒゲを生やし
イラン人の運転手さんと一緒にバザールに出かけて
闇の豚肉と葡萄を手に入れてきた
私たち家族は夜の空襲警報を聞き
灯火管制の中
白く蕩(とろ)けるロウソクといっしょに
豚を喰らった　カリフォルニア米とザクロもいっしょに

ある朝
日本人学校の

灰色のコンクリートの壁にも
流れ弾が食い込んでいるのを見つけた

あたりを探し続けていた
銀杏を拾う時みたいに
母に作ってもらった青い防空ずきんに
入れておこうと

もう　なにもない
もう　なにもない
もう　なにもないのだ
と　思ったとき

いすらーむ風の
青いほっかむりと
群青色の長そで
長ズボン

銀杏の木の下の錆びた鉄棒に足をかけてぶら下がった
青白く澄んだ空と
青黒いコンクリートで固まった庭が
逆さまになった

逆さまの世界に
頭からぽつっと落っこちた
かたくなで
匂いのきつい銀杏のように

どこにも根づかず
コンクリートに　じりりじりりと焼かれて
弾け飛ぶ
生の種のように

誰かに狙われることもなく
世界の流れを知ることもなく
ただ　雲の流れを

ガムテープでバッテンだらけにされた窓から見ていた

息を殺そうが殺すまいが
あいかわらず　雲と鉄の球は流れつづけていた
ただ　あの雲は　ここから　そこに
流れていくことだけを　夢想した死

蜜蝋の花

蜜蝋の花をつくり　手の中で溶かす
柔らかい花びらはどこまでも伸び
いつの間にか花の形をなくす
灯火管制の中
部屋の中で溶けていた大きな蠟燭のよう
火に焼かれながらどこまでも熔けて
最後には小さな焦げた芯を残し
白い花は自ら熔けて朽ち果てた
爆撃は今日もやってきた
逃げずに通りすぎるのを待っていた
透明で暗い日々に　時間はない
爆撃は土漠のむこう　銀紙のむこう
窓ガラスは揺れ　鼓膜も揺れていたが

お構いになしに　爆撃はやってくる
きみにはみえないのだ
そらおそろしい悪意が
空想の中でしか知らない
そらおそろしい悪意が
灯火管制の中
蠟燭は風もない中　揺れていた
爆音が落ちても　揺れていた
白い生ぬるい花の芯が消えて
そこのそこに固まるまで　揺れていたのだ

並んだ時間

並んだ時間が残像となって線を描く
おしっぱなしのカメラのボタンで作られた
写真のように

地を丸めた球は　自分で回っている
串焼きにされ　火にあぶられた肉のように
身を焦がし　油をたらし続けている

彼の地では
時間は　水とこねあわされて
ナン*のように焼かれ

＊　小麦粉を使った現地のパン

この地では
時間は　水をさされて
ごはんのように炊きだされる

毎日
同じような時間は流れてくるが
時間はあいかわらず並んだまま交わらない

彼の地では
鉄の球が飛び交い
相手が　いやになるまで戦うつもりらしいが

この地では
言葉が飛び交い
相手が　分からないまま　垂れ流される

それらの地には

血は流れているのだろうか
脂ぎった虹色の水のように

それらの地には
時間は流れているだろうか
砂ぼこりの道のように

月夜

弐　月夜の公園

夏の噴水　闇を刺す
月夜の公園　夜の闇　家族は歩く

黒い太陽　みつからない
緑の絨毯　チャイを囲んで　家族が集う

子供らは　月夜と遊ぶ
禁じられた　月夜の遊び

ほら　ぶらんこ
おとうさん　月のぶらんこ　ゆれたよ

ぼくらを　もっと　ゆらしてよ
おとうさん　月のぶらんこ　ゆれてるよ
おとうさん　写真　おいて　ぶらんこ　ゆらして
おかあさん　写真　とって　ぶらんこ　とって

それを見ていた　影法師
月夜の影は　とったらいけないよ

それより　なにか　おくれよ　と
チャドールの女　影法師
おかあさん　こわかった
影法師の目　三日月だったから
おかあさん　にげだした
写真　おとして　にげだした

チャドールの女　影法師
おこって　写真　もってった

影法師
闇夜で　みつからない

おかあさん　写真さがして　夜の闇
影法師　月をさがして　夜の闇

弐　月夜の夢

おかあさん
月夜の晩に　夢をみた

三つの死
という文字　をみた

死　死　死

という文字が
白い頁に
書かれて消えた

死　死　死
という文字が

浮かんで
消えた

月夜に死んだの　おかあさん
月夜に死んだの　影法師
月夜に死んだの　黒い太陽

月夜の影法師
三回　死んだ

うつつ　と　リアル

弐　白いぺいかん　と　赤い験の羊

白いぺいかん　と　やってきた
ぺりかん　ではない

空は飛べない
道を這いずり回る　イランのタクシー
ぺいかんタクシー　と　やってきた
えさは　外国人

どこいくの？
乗っていけよ

メーターはないけど
ほんの気持ち　くれたらいいさ

昔住んでいたところに行くの？
道は　いくらでもあるさ

山の見える道を目指すのだ
途中に家はみつかるよ

一番最初の曲がり角
小さな道を　みつけたよ

この道　羊が歩いてた
背中が赤の羊の子　一番最後を歩いてた赤い験の子羊だ

小学校から　みていたよ
赤い験　引き裂いて　首から血飛沫　あげてたよ

一番最後の子羊が　赤い験の小羊が
一番最初に死んじゃった

曲がったナイフの男の子
血を抜き　皮を剥いでたよ

赤い験をなぞっては
もも色の肉　みつけてた

皮　肉　血飛沫　ひとつじゃない
キャバブ屋[*1]までも　歩けない

血は　土くれに　染みこんで
子羊　静かに横たわる

草は　血を吸い　土を吸い
羊達　静かに草をまさぐった

この辺でいいかい？
最後の道を右に曲がればいいんだな
青い5ホメイニくれ　5万リアル[*2]くれ
そうそう　それだ　お札のこと
戦いあって　ガソリンも上がっているからしかたがない
これくらいなら　いいだろう？

白いぺいかん　捨てセリフ
吐き捨てられた　外国人

弐　アガーの緑の庭

アガーの庭に　女がひとり
淡い太陽　溶けた薔薇　トゲを無くして匂い立つ

＊1　羊の肉の串焼きなどを売る店。ケバブあるいはカバブとも
＊2　イランの通貨の単位

青く色づく　水のそこ　桜桃　ひとつくださいな
真夏の空に溶けだした　淡い太陽　くださいな

桜桃もいで　口にした
太陽のひび　口にした

アガーはケチャール〜はげ頭〜　光らせた
薔薇の木陰で　光らせた

桜桃　うばわれ　領土　あらされ
2階にやってきた

アガーは　茶色い眼　光らせた
ほんとは　茶色い水が目当て

揺り椅子座って　うたた寝してた
ロシアを夢見て　うたた寝してた

白髪のハヌーン　闇の中
アガーの庭見て　闇の中

薔薇の木陰は　アルメニア
家の暗闇　ロシア領

赤鼻アガー　茶色い水飲み　踊りだす
手を広げ　空と水　行ったり来たり　低空飛行

にごったグラス　うたかたのひび
わし鼻広げ　飲み干し　いった

緑の庭で
わしの桜桃　食べてはいけないよ

アガーの踊った部屋は今
白い大理石に覆われて

柔らかソファでお昼寝だ
新しい住人　お昼寝だ

ベランダからみた　緑の庭
淡水溶けた太陽　うたかたのひび

アガーの庭の　うたかたのひび
淡い太陽溶けだした　薔薇と飛沫　はじけとぶ

青い空から切り取って
淡い太陽溶けだした　薔薇の花　ひとつ　くれた

空っぽプールの隅っこ
さっかあのぼおる　みつけた

参　土漠巡り

昔　歩いた　坂道行く

下ってるのか　登っているのか

昔の写真が道しるべ　うすらとぼけた道を行く
5万のリアルに　うつむいて　とっとと　夢道歩き出す

写真とうつつ　ひとつになった　その刹那
そこ　ここ　あそこ　を　行ったり来たり

みどりになった門　と　もも色だった門　を　行ったり来たり
そこ　ここ　あそこ　を　行ったり来たり

女は　ひとりとふたりを　行ったり来たり
うつつ　と　リアル　を　行ったり来たり

ブザーを押した
あなたはだあれ？　と　老女の声

昔の自分

知りませんか？

千年少女が
門のあちらで地獄耳

窓いっぱいの銀紙で　真っ暗やみの家の中
ひとりぼっちでひとっぷろ　地獄の釜でひとっぷろ

後でおいで
と　老女の声

きびす返して　土漠巡り
盛り土の下には　何がある？

地下へ続く　穴穿ち
弾丸列車が走ってた

盛り土の向こうに　おもちゃの要塞　みつけたよ

おもちゃの兵隊　みつけたよ

赤い弾丸ばらまいた
おもちゃの兵隊　今　ここに

闇を犯した　おもちゃの飛行機
今　そこに

兵隊さん　赤いてんてん　発射して
だふっだふっ　と　うめいて　いっちゃった

天にばらまかれた赤い種
闇に紛れて　いっちゃった

てんてんで　はじまり　だふっだふっで　おわり
たたかいがあって　やみがあって　また　たたかいがあって

空の闇

少女の赤い血飛沫　飛び散った
灯火管制　闇の中
てんてんとだふっだふっが消えないうちに　数えたよ
てんてんてん……　いま　いくつ？
だふっだふっ　だけじゃあ　わからない

てんてんてんまで
だふだふだふに　と　おいかけっこ

おもちゃの要塞　飛び出して
カラシニコフの兵隊さん　ここを　撮っちゃ駄目だと兵隊さん
帰るなら　そこの女
棘のない薔薇　忘れないで
魚眼レンズのカメラは
きびすを返して　丘を去る

黄色い花が　乱れ散る
地獄の釜まで　あと少し

山の向こうも　曇りがち
天使の梯も　降りてきた

うっかり　天使が落ちてきた
てんてんてんから落ちてきた

梯の上まで　這い上がる？
雲の切れ間を　よじ登る？

そこ　ここ　あそこで
だふだふだふに　と　おいかけっこ

地下の穴から
仕事につかれた天使や悪魔や人間が　あふれだす

天使の梯に気付かない
足下の花びらに気付かない

山の向こうも　曇りがち
天使も悪魔も人間も　お疲れさま

　そこ　ここ　あそこで
　だふだふだふに　と　おいかけっこ

歩道橋の上　歩いたら
リアルをくれ　って

チャドールの母親が
しわがれた手を差し出す

子供は　反りくりかえり
チャドールの母親は　下を向いたまま

歩道橋の下では　募金ポストがお出迎え
四角い口　開いてお出迎え

見えない行く先に
リアルをくれ　って

わずかのリアルを
下を向いたままの　しわがれた手に渡すのだ　って

昔は　よかった　などと口が裂けても言えない
リアルは王様のポケットに向いたまま

今はよかった　などと口が裂けても言えない
リアルは見えない行く先を　戦争の核心に向けたまま

歩道橋の下
リアルとペイカンが去って行く

四　ひょうたんのそこ

老女の家に舞い戻り
もう一度　ブザーを鳴らす

老男が出てきた
入っておいで

女よ
少女が待っているはずだ

そこは水の化身　竜の住む館
家族のたったひとつの箱庭の神殿

女は　神話になった
かつての戦さ火を　あぶり出す

赤いてんてんが　墨絵の空を駆け巡り
火花になって　散ってった

そういえば
兄は　竜が空を翔んでた　と言ってたな

女の話に　竜も天使も悪魔も　いない
うつつの人の繰り言と　かみひとえ

台所に　母はいない
バンダル・アッバスの海老の殻を剥く　母はいない

部屋の窓に　銀紙はない　少女もいない
老女のはいていた　ぱんてぃーすとっきんぐ　が瀕死で横たわり

形状記憶　の　ふともも
老女の下半身の抜け殻　が干からびている

灯火管制の闇　もない
闇の中のロウソク　もない

爆撃の後　ベランダで聞いた
アローホアクバル〜神は偉大なり〜　もない

ベランダには雪もない
父と雪かきした　雪掻き棒もない

ティムサル〜将軍〜黒いむく毛犬〜　もいない
庭のひょうたん型の水たまり　が干からびている
三毛のペルシャ猫　もいない
目の回りをもも色にはらせて　歩いていったっけ
女は　ベランダのうつつから　ひょうたんの水たまりをみて
魚眼カメラは　ひょうたんから　うつつをみて

うっかり　ひょうたんの水たまり　抜きとった
兄は　ひょうたんの中に飛び込んだまま　浮かんでこないまま

うつつに竜がみえると　いっちゃった
リアルな　箱庭の病院に　いっちゃった

いっちゃった　いっちゃった
みんな　みんな　いっちゃった

なくなった　なくなった
みんな　みいんな　なくなった

ひょうたんのそこに
竜と一緒に　いっちゃった

　うつつ　と　リアル
そこにある?

とぅーとぅふぁーらんぎー*

ほこりの道の途中
白い髭の老人がチャイを飲んでいた
絨毯の上にやってきた蟻の行方を
茶色く煮崩れた目で追う
苺の花咲く硝子の器では
角がとれた角砂糖が
生温い樹液に溶けるのを
待ちわびているようで
羊の横切る街角で
凸凹に錆びついた秤にかけられ
箱形におられた新聞紙にくるまれ
ちいさなとぅーとぅふぁーらんぎーはねむる
蟻の群れは

硝子に張り付いた苺には気づかずに
チャイの向こうの
角砂糖の山を目指していたが
とぅーとぅふぁーらんぎーはねむる
ねむるばかり

＊　いちごのこと

くわの実たべた

あるあさ
ひなたにねころびて
しいろいしろい
くわの実たべた
そのまましいろいいとはいて
ねむってしまへ
いっぴきのくさにはりつく
むしとなり
くるくる
きいとにくるまれてみあげりゃ
まだらなひのなかで
しいろいふらここゆれていた
こわれたふりこがふりきれた

つるされからすをみつめてる
木になる複眼
ぽっつりとちじょうのまんなかおちてきた
あめつゆみたいにおちてきた
しいろいしろい
くわの実たべた

道

道がある。
車の行き交う道を歩く。
排気ガスに満たされた道にうずくまる。
道の先には道が見えていなくとも道がある。
乾いた空の下に道がある。
天を指し、地に帰る噴水の向こうに道がある。
イランでは人生ゲームのルーレットのようなロータリーから
革命が始まったというが、その回りにも道がある。
道がある。
坂の上にも道がある。
はげ山の向こうにも道がある。
工業製品ばかりになった下町バザールにも屋根付きの道がある。
風と人が行き交う道がある。

学校に通った道がある。
昔より小さく見える道がある。
回りの建物は新しくなり、懐かしい住処には
新しい人が住んでいたが、そこには、道がある。

生詩

全身の水

全身の水が　すべてがいれかわるみたいやもん
剣道をしてきたせがれがいうた

じいちゃん達と朝練をし
後輩たちと昼練をし
試験勉強の準備をしなければといいながら
よるはかっぱのすしやでばいとしとるやん
せいふくのぼうしがみどりやけん
ちょっと
かっぱをとりこんどるんやろうけど

それにしても

かっぱまきっておいしいとかね
あんまりたべんけど
水分はあるかもしれんけど

山笠んときは
きゅうりをたべたらいかんていうけど
男衆に限った話やけん

どうでもいいかもしれんけど
かっぱまきはかっぱまきで
おいしいときもあるやろう
あついときはとくに
みずみずしかろうもん

さらがひからびないために
汗と水分が出たり入ったりを繰り返す
体の中を通りぬける水は
いのちのしたたりのようなもので

ためるのではなく
いつも
じゅんかんしていくと
とどまるものではなく
ながれいきとどいていくとよ

豪雨のあと
まつりのあとにうまれ
かわったような
せがれの生活水

その先

剣先が定まらない。
体は真正面を向いている。
目線もまた前を向く。

剣先だけがまだどこを目指すのか定まっていない。
体が気を飲み込むように一つになり動き出したら、
剣先だけではなく、全てが相手に向かっていく。
全身全霊で向かっていくのだ。

ペン先は白いまま。
インクのシミは線を待っている。
線上のペン先は命の吹きだし。
人の形は白から黒く立ち上がる、
あるいは、したいを縁取る。
生きるか死ぬか。
浮かび上がるものに身を委ねるのだ。

人型

人型が欲しいと倅が言った

それから手型も　と
立体的な木製のもの
まだ作り込まれていないもの
これから作り上げていくもの
そうして
自分を本当の自分と思い続けながら作り上げていく
自分の道を作り上げていく
地道なものを受付ながら
すのままですりあげ小手面を打突するように
自分の技を作り上げていく　と

うまれた日

あなたは　まだあかく
ほかほかとゆであがったばかりの
ぺんねのような指を

まだ私とつながったまま
へその緒にねじりからませ
さかのぼっているようでした

牛と豆を取り替えて
組み替えてしまった
ひとりのあまのじゃっくのようでした

まつりのあとか　あとのまつりかは
わかりませんが
このよにおくりだされたあまのじゃっくは
かためをうすくあけて
こちらをきょときょとと
血の道を通り抜けたまま
みていたようでした

もとのみちにかえることなく
たったひとつの

もとのみちになったようでした

子宮からの脱出

四月九日を
子宮の日と言うらしい
今日誕生日の子にしてみれば
子宮からの脱出の日
それがやぶれたのか
それともきられたのかは別にして
羊水からの脱出の日
羊水にいられず
空気に入り
空気の膜を抜け出し
真空に入り
その先には何があるというのだろうと

脱出を繰り返し
いつのまにか
脱出したつもりが
また宇宙の子宮に帰って行くのだろうと

流れの行き着くところ

博多駅の拡張工事はいつまであるのだろう
あるはずの通り道には
灰色の通行止めの覆いがかぶさっている
硝子張りの柱の中の広告塔には　何も貼られていない
支えているものの姿が見えない
やきたてのくろわっさんの匂いだけが
そこにとどまって　人は流されていた
拡張されているのは　人の意識だろうか　駅の売り場だろうか
あるいは　ぐるぐるまわるこーるたあるの　ろーたりーくらぶだろうか

城下町と商人の町が別れていたころも
はかたんまちを人は流れになって走っておったが
真夏の早朝にだけ時間はくりかえしとまっていた
祭りの終わった朝に生まれたせがれは
後の祭りを名残惜しむように
息苦しい血塗られた産道をくぐり抜けて
この世に生まれて来たのだ
産道は参道につながり
への緒のよじれは　注連縄のよじれとなって
おまいりする対象は抜け出したからっぽの子宮で
鏡か石か言葉の他には何もない神棚だとするならば
ひとは神に参るのではなく
じぶんのきたみちにまいっているだけなのだ等と思いながら
せがれたちとすわるところのない駅で
すわるところをさがしつづけていた

あたまをあらう

かあゆうい
あたまあを
あらあってないけえん
ちちおやは
はんぶんだけくちをあけていいました

あたまをあらうなら
うちゅうひこうしがつかう
ながさないでいいしゃんぷーを
つかってくださいと
かんごしさんにわたされました

それでは
つかわせてもらいます
しゃんぷーはっとはないけれど

とうめいながいよだれかけはあるから
ねたままのあたまのしたにひいて
あらいましょう

ちちおやのあたまを
くしでなでたことなどなかったです
とかすたびに
あわはなくなって
しいろいかみにすいこまれていきました
ちちおやは
ねむいのか
ねいきをかきはじめています
かゆいとこないね
う〜ん
かゆいとこないね
う〜ん

なんども　う〜んというので

もうすこし　かみをなでていたら
もうすこしのくろいけがう～んとぬけてきたので
そろそろ
ふきあげることにしました

ふといくびを
ちょっともちあげて
ささえていたら
たおるでふきながら
ははおやがいいました

きょうは　あさから
車イスをおして　ろうかをにしゅうしたけどね
にしゅうかんしかびょういんにいられんと
市民病院からいわれたから
ここをでないといかんね

そのあと

いえのちかくのびょういんで　にかげつだけ
りはびりをしていいといわれたと
それからは　じぶんで
なんとかしてくださいって

きっと
じっとしてないから
からだのはんぶんをひきずっても
じっとしてないから
なんとかしないといかんのよね

という　ははおやのこえを
こもりうたにして
ちちおやは
あたまをあらいながら
そのまま　ねむっているようでした

かえってみたものの

かえってみたものの
つみかさなる　さじのしこり
しらない　しらない　なんもしらない
ひだりのあたまにたまった　にごり
みぎかたにぶらさがり
きをうしなったまんまのてとあしはあおざめた
しらない　しらない　なんもしらない
などと
いわなくとも
いわれなくとも
あたまから
なまえは　きえはてて
ちがうひとのなまえでよばれたものの
こたえることもせず
ちゅうしんをうちたてるように

たちあがろうとしてくずれた
まにあわなかった
くうはくがくずれて
じいっと
くらやみに
すわりこんでいた

かんかくのきょうかいせんじょう

かんかくのきょうかいせんじょうをさがした
ここはかんじる　ここはかんじない
ここからさきはかんじる　ここからさきはかんじない
からだのなかにみえないきょうかいせんがあった
じんたいじっけんのはて
ひだりのあたまにたまった血が
きょうかいせんをつくり

そこからさきは　みうごきできないようだったが
あたまがつくるのか　からだがつくるのか
こうどうがつくるのか　しゅうかんがつくるのか
そのどれもがつくるものではあるのだろうが
かんかくのきょうかいせんじょうを
うろつくたましいのようなものは
いったいぜんたい
どこにいったのだろうかなどと
かいだんあがりのれんしゅうをしながら
みぎかたにおもくのしかかる
ちちのかんかくのつえになりながらさがしていた
まひ側（そく）にそうぐをつけるだけでも
かいだんあがりがずいぶんとらくになったが
かんかくのきょうかいせんじょうは
いまだにまひじょうたいなのだ
ところで　ちちよ
あなたにはいたみはあるのだろうか

風呂

まさかおまえに風呂にいれてもらうようになるとは
といいにがわらいする父の
たましいのようなものが
すこしかるくなったような
やっと水がでて
顔を洗えた人のような
はやくあたたまりたまえ
湯船に浸かるのが怖いという子供にかえったような父よ
じいちゃんとふろにはいるとせがれがいった
風呂用介護椅子にすわるじいちゃんをじいっと見ていた
洗い場はじいちゃんの椅子でいっぱいいっぱいで
でるにでられずゆであがって
ついに風呂の手すりに仁王立ちしていた
じいちゃんはひとりではなかなかたちあがれないが

おまえはかるがるとまたがるな
つえをついても　たちあがっても　すべりやすいから
風呂場もいのちがけだな
かあちゃんは風呂場でレインコートをきて
じいちゃんのせなかをあらって
おしりはじぶんであらってじいちゃん
さいていげんの自分は死守せよ
なんでもひけらかせばいいものではないって
じいちゃん
せなかをながしておしまいよ

自然体

育った場所に立ち返ってみました
送った時間はそこにはもうありませんが
自然を感じずにはおれませんでした

草があんまりにも生い茂って人を拒んでいるのです

人のいない土地は自然に侵食されていくようでしたが
人の声は自然なのです　といった老婦人の言葉を思い出していました
人の声はそこにはなかったのですが
山葡萄は風にゆれてそこにありました

草薮から実をつける山になりかけても
その山自体は動きませんが
人はひとつの身となって動き出し
ひとつの自然体となって動き出し

血文字

虫をすりつぶした赤でかかれた書があり
虫の血と体が粉々になり

書の中で赤裸々におどり
全身全霊の赤

人の血が集められ書かれた血判書があり
文字は血をもって書かれ
書は血と言葉の一体なり
赤一点ばりの血

人の指先からこぼれた虫の一息の赤
ぼくたちは
これほどの赤を
もちえるのだろうか

温度計

どろどろの赤い水

ガラスの中　行ったり来たりしてた
温度計が割れてしまった

風呂場で事故死
洗い場　踊り場
砕け散る

人肌より二℃だけ高く
はかり続けることに
耐え切れなくなったのか

ちまちま
行ったり来たりに
意味がなくなったのか

身体すけすけ
血はみえみえ　行ったり来たり
今の温度　零℃

砕けた身体
水銀塗れ
腰は砕けて　赤い血　弾く

吸い尽くされた乳房色　ぷらすちっくの鞘の中
砕け散った赤い血
いつまでたっても　固まらない

いつまでたっても　鞘の中
いつまでたっても　砕けてる
行ったり来たり　疲れはて

壊れてしまった
壊れてしまった
もう　温度を計ることもない

百℃が　限度

そこから先は　目盛りはない
そこから先は　見境もない

鞘の中　行ったり来たり
あきあきの仕事から
開放されたガラスの身体

兄の抜け殻も
家の中　行ったり来たり
あるとき　ベランダ　飛び降りた

壊れてしまった
壊れてしまった
飛び降りて　身を切って
壊れてしまった
壊れてしまった
温度計　すっと伸び切って

もう　許れない
二本の前歯　砕け散り
血だらけ　すっと伸び切って

病院と家を　行ったり来たり
乳色の家に戻り　風呂の中
手首を切って　血を流し

人肌より少しだけ
高い温度で飛んだだけ
身を切り　血を切り　飛んだだけ

魚の骨

魚の骨が
いつまでものどもとにささくれだつように

肺にからみつく影
吐き出された分泌物は
どれもがどこか同じ味がする

ひとのじごをとかし
しごにかみをとかし
ねんいりに魚の骨のように
あみこまれた
おんなの寝姿にからみつく影

のどもとをとおりすぎることはできず
うまれてきたどうくつに
かえることもできず
いったりきたりしながら
魚の骨をとかす

明け方の魚
ぴちゃっと

はねまわる
魚の骨は
透明にそったままとけていく

しろいねこ

しろいねこはどこにいったのだろう
たとえば　やさしい毛糸が
つるされたうちゅうがそこにあるならば
しろいはこからにげだしたしろいねこは
うちゅう圏外のむげんとなりににげこんだままで
しろく　すばやく　むくげのはえた
めまぐるしい　たましいのようなもので
みえているようで　みえない
じっとしているようで　ころがっている
じくうかんは　たぶん

ちかずくとうごきだし
とおくにいると
とまっているようにみえるもので
たとえば　うちゅうの毛糸がはてたとしても
となりのひとつむげんで
いきをひそめてみているままで
しっぽのさきだけ
おわりのおとにからんで
はねまわっている
とうめいな魚をねらっている
毛糸を巻き直し　すきまをみつけては
ぽけっとをつくることもできそうな
しろいねこは　どこにいったのだろう

蟻の時間の手前

蟻が道を通る
手に道をふさがれながら
手を払い除けるように
手の向こうをちりちり触覚する
食虫手の
指先の透明な歯は砂で埋め立てられた
蟻は道を通る
手に生えた歯に道をふさがれて
蟻は道を通る
手の隙間をちりちりと触覚して
赤暗いドーム
手の中の血の道を見た
蟻は手の中の
重力に逆立ちした
親指と人さし指の隙間の透明な穴を

ちりちりと触覚して
蟻の時間と手の時間
通過する　ほんの手前で

蝶々の飛んできた道

蝶々は日向(ひなた)をたどって飛ぶのだと
蝶々をよく知る人が言っていた
蝶々の飛ぶあの道は
そういえば日向の道であったのだ
昨日の庭は晴れていて
ひのさしていたほうこうに
あわいさとうのこげついたにおいにつられて
眼差しも日差しで見えない道筋をとおって
やってきたのだろうか
花はないけれど道はある

見えない日向の道はある
しかし我らはなぜかしら
日陰を探してあるくのだ
プシュケの通る道でなく
明るく照らす道でなく
生ある道のほの暗く
魂の翳ふむ道をあるくのだ

さくら

さくらがさいている
はなびえたそらをさえぎるように
さくらがさいている

さくららいんとさくらぜんせんが
はじめてまぐわうころ

ちはみえないところでながされる
がれきにはなをさかせるてまえで
ながされうめられたつちにかおをうずめ
うまれてきたあなをうめる

ここからさきはとおせんぼ
つんぼのみみとおしのくち
めくらめっぽうかけだした

やまのうえ
くろいみずさえ
おいつかず

やまのうえ
さくらになった
かなしみのめをみはる

土筆

皆の車を見送った後
石の向こうの土の上に
一本の土筆が突っ立っていた
その土筆と目があったような気がした
昨日まで気づかなかった
いつの間にか大きくなって
土筆が突っ立っていた
ここにいるよと
無言のまま
土筆は突っ立っていたようなのだ
見えない春が土をこじ開けて出てきたような
見えない土手の向こうをふく風と
小躍りしながら出てきたようなのだ
土筆を連れて帰っては

春と一緒になるように
土筆の春を食べるのだ

草の音をきく

草の音をきく
雲のきれはし
裏階段の錆びた穴の奥から
こぼれ落ちる

草の音をきく
のびきった日差し
土掘るくれーん錆びた穴の奥から
つつかれる

草の音をきく

とんかかととんか
夏の屍骸が
ほりおこされる

草の音をきく
とんぼ　とんでくコンクリの戦場
にっか　ばんかの
血がにじみ

草の音をきく
衛星アンテナとらえてた
自由の屍骸が
いってしまう　と

こんぽすとのなか

こんぽすとのなか
なみうつたいひ
つちのなかのうじのうごめく
うじがおよぐ
ないふできりとられたこゆびのように
ちはながさずに
ちをはいまわる
くさったなすびをつきぬける
にぎればとけおちるきゅうりとおよぐ
ささくれだったとりのほねのずいまでとどく
うじのせいちょう
ほねのないうじ
うじうじしてるちねつ
四十五どにすいぎんのあかがはねあがる
ここまでおいで

うじうじしてるまなつのたいひ
ゆげがでてきたたいひのなつだ

花火の夜

花火の夜にたどり着き
浴衣の紺に　白椿さく
この夜の空を照らし出す
はあと花火のゆがみさえ
知恵の輪の歪みより
いと　やさし
滑り台でみえず
木が生い茂りみえず
爆撃の夜　知らず
あちこちはじく
花咲く音

ああ　この花は
この花は
今しか咲かぬ
時のよにちり

風媒花

せせらぎに色も香もなくかぜにゆれ
いのるさだめか
じゅずだまのむれ
虫を呼ぶことなく風と戯れし
色も香もなく
風媒花のうた
じゅずだまのかわいたころにはうたうたい
おてだまにしてこらとたわむる

骸骨と黒穂

茶褐色の骸骨に
どこかでひろった黒穂をそなえると
いままでの悪行が無になるらしいと
ゆめの小説家が書いていた

悪魔が無にしたいのは
神の創造か　創造の神か
金の創造か　創造の金か
血の創造か　創造の血か

どこかで黒穂をひろったとしても
骸骨はひろうことなくすむことを
祈っているものは
はたして人間なのだろうか

死詩

みつろうのとも

ひえかたまったみつろうのとも
きいろいはなびらきものをきて
つるえだがむねのうえでからむ
てをくみあわせてねむっていた
ろうにんぎょうのようなともは
いまもわたしのなかでねむって
いつまでもめをさまさないのだ
むごんのしをささげているのだ
あらゆるものへのむごんのしを

しぬまで

今ごろはちにまみれてはいたみからぬけだせないまま
てんじょうをみていた
きみがうまれるまえに
なんどもぐろてすくな陰口をのぞかれた
みせものではないが
そこからでてくる
きみをまっていたのだ
あたまがやわらかいねこげのきみは
たいばんをいのちづなにして
なかなかはらのなかからでてこなかった
いまはきみをうんだいたみはうすらいだが
ひとひとり陰口から出てくるのだから
その口はひらかれたまま
ちをながしつづけたのだ
あたまがでてきて

かたまでとおれば
おしだされるときがくる
ちのどうめいどころか
血判書どころか
我々はちをちであらいながしおしだされた命そのものなのだ
むすこよ　むすめよ
いきれ
しぬまでまっとうにいきれ
みせものにはするな
うまれたところをおろそかにするな

この世からいなくなる

この世からいなくなる　四十八時間前
なにをする
と　聞かれた

たぶん
今までしなかったことをするだろう
どこにいるかわからない
うろつく神を信じるとか
薔薇の花はうつくしい
と　とげをぬきながら
おおあくびをしたり
だれでもいいわけではない
異性でも同性でも
人を間違いなく愛するとか
そういう
そのままのこと
そして
こどもたちにお別れかもしれないが
いつも読んでいた本を捲る音がしたら
たぶん
そこにいると思う
と　言うだろう

おなかのなかがくらくなる

しぬってね
おなかのなかがくらくなることなんよ
と　むすこがいった
なんで
ないてるの
と　むすこがいった
なんでかな

おなかのなかがくらくなりそうだから

おばあの通夜

九十年生きてきた　おばあ
最後まで　わからない
棺の中
閉じて開かない唇から
一本だけ生き残って
ほそぼそと覗いている歯を見て
そう　思った
病院のベットでは
短く刈られた白い髪を
水入らずのシャンプーで洗っていた
身体を清拭して
床ずれしないように

横を向いても
窓の外はみえない
薄っすら白い敷居に囲まれて
そうして
横を向いて眠っている
手足は日干し大根のように萎えて
お腹と足がくっついたまま
背中をさすっても
じいっとしている
目はラムネ瓶から出られないビー玉みたいで
赤ちゃんはお腹からもうすぐ出てくるところだったのに
お婆はここからもうすぐ出ていくところ
入れ替わり　立ち替わり
入れ替わり　立ち替わり
最後まで　わからない
そう　思ったのだ

鳥葬曲

拝火教の鳥葬で
鳥は最初に目を啄むという
左目から喰らえば悪人
右目から喰らえば善人
それからさっぱりと死肉を喰らうという
人を喰らったあの鳥は鳥人
あの目を見てごらん
夜でも見える
夜鳴いているあの目を

殺生石

九重のやまのなか

九酔峡をのぼり
筌ノ口温泉につき

誰もいないさびたつちけいろの湯につかり
からだ中のおろをとかし
北東の空を流れたほしぼしを
二十数個数えた夜よなか

かえりぎわ
坂道をのぼり
殺生石をみつけた

そのむかし
この石の上をとぶとりが
ぽとりと落ちてしんでいったという

この石はいのちをうばう石
石の下もれいでた

ちのそこのはいた
みえないものにやられていたのだという

夜よなか
その石の上をとんだ流れ星が
どこに落ちたのかはしらない

夜よなか
二十数個の星のいきてしぬ最後を
みたような気にもなったが

まためぐる
星々のながれの
いつはてるともしらずみえないいしをまつ　零

そこから御破算でとぶように
太刀洗駅近くの零戦をみにいった
記念館はおわり間近だった

遠くからきた赤紙をもらった年老いた人々と
なつのしゅくだいをもらったわかいひとをうけいれていた
ぜろせんはうごかないがせかいじゅうにちらばっているというかたろぐ

とうめいなぜろせんがとうめいなくりすたるのなか
くうをとんでいるのか　くうぼにつっこんでいるのか
わからないようにうかんでいる

まるで透明な殺生石のように
まるでながれぼしのように
まるでぜろのように

かんぺきなし

かんぺきなきんにくをもったひとがつかれはてたすえに

やわらかいにくをもつようになったという
かんぺきなせいかつをおくるともはつかれたすえに
つめたいからだをあのよにおくった
かんぺきをもとめていただけであろうとも
つめたくなってねむってしまった

かんぺきなし
つめたいし

しというものは

しというものは
いきていいたひとがさっきまですわっていたいす
しというものは

びょういんからかえってきたいきのないひとのねむるふとん
しというものは
じこのあとしらずにとおったみちにたむけられたきくのはな
しというものは
のどがかわいてほおばっていたこおりというよりも
からだをひやすどらいあいす

うごかぬ証拠

女の死体はうごかぬ証拠のように
緑の中で見つかった
だんぼーるにつめられはこばれることもなく
そこでねむりについたのだ　性懲りもなく
なくしたのはじぶんか

さきにゆくじかんか
それとも
めくるめく愉悦のような翔天か

じんせいは斎場

じんせいは斎場であった
受け付けないこともなく
おぶつぜんとした給料袋をもち
がっしょうをし
おきょうをとなえ
いすにすわり
せきをたち
れつをつくり
あいさつをしながら

かなしいくらいにしょうこうをたく
まいるのは
いつもしにびとで
せれもにーは続いていくのだった

千一羽鶴

いつのまにかつめがわれてしもうたかも
わからん午後

透明なゆびさき専用の
絆創膏をともにもろうた

いつのまにか千一羽になってたのかもしれん　と
ともがいうのをおもいだしたと

日曜日に　ばあちゃんは
千羽鶴と一緒に灰になったと

でもね　一羽だけ焼け残っとった
手の骨の近くの一羽だけ

おかんの中でいつかみた渡り途中の鶴みたいに
灰色になってしもうたけど

くるぶしやらのどぼとけやらと一緒に
壷にそおっといれたんやって

足元から

足元から花を添えて死者を送ってください
棺の中に花があふれていきます

足元から花を添えて死者を縁取ってください
だんだんと花に包まれて逝きます
色紙に書いた別れの言葉も添えてください
ありがとうと
半身不随の左手でありがとうと書いてください
利き手が利かないので
ありがとうのあの字が書けなくたって
あ　なのか　お　なのかわからなくてもいいのです
おりがとうにしかみえなくてもいいのです
心電図みたいに上がったり下がったりした字でもいいのです
最後にきいた
あっ　というたましいを見つけたみたいな声でもいいのです
あっというまにやきばでなくなってしまった
あなたの肉は生きて　あなたの骨は死んでそこにあった
生きている時ののどぼとけはころころうごく首の前の軟骨です
死んだ時ののどぼとけは首の後の第二脊髄です
骨が仏の姿になって祈っているように見えるから喉仏というのです
さあ　拾ってください

花はないけれど骨はある
骨は足元から拾ってください
骨壷の中でちゃんと立っていられるように
骨は足元から拾ってください

骨と肉体

骨になる前に肉体を動かしていく方が良い
骨だけでは動けなかったものが
動き回れるようになったのは肉を持ったからでもあり
動き回るばねを持つ肉こそが骨を守り続けていたのだ
それでも
聞く耳をもたず
骨になるまで嘆くものよ
あなたもそろそろ嘆き疲れはてたであろうが
最後まで

骨の髄が空になるまで
骨になるまでカラカラと嘆き続けるのだろうが
骨はもう自らの意思で動きはしまい
ただそこで掘り起こされるのを待っているだけなのだ

夢をみとった

おばあちゃんがゆくえしれずになった
もう向こうへ行ってしまったかもしれない寒さの中
靴と鎌を見つけたしょうぼうだんいんさんが
目をつむったままのおばあちゃんを見つけた
おばあちゃんは目覚めたように
ゆずを取りに山に入った
防寒服ばきとったけ寒くなかったと
家に帰った夢をみとったといった

アフガニスタンで井戸をほっとった人が亡くなった
彼らの肉体に
銃弾で掘られた穴から
血を汲み取ることはなく生贄になった
死に追いやったものは死にものぐるうだろう
井戸を掘る夢をみとった人の影に怯えながら
干からびた魂のまま
夢も見ずにものぐるうだろう

無空道

寂しいということ

～失われたものへの歌～

淋しいということは
竹林に降る雨の音からきている
と　ろっくはりうっとで詩人に教えてもらった日
もうひとつの寂しいということを思った

雨が降った後
晴れた夕暮れの中を自転車で帰りながら
寂しいはどこか　さうだあじの響きと重なる気がして
あるはずのない坂道をのぼるように　ペソアの詩を思い出そうとしていた

川の横　車が通り過ぎるのを待つ間
韓国のバッチをつけた若い水兵さんが　たずねてきた

ここはどこですか　　ここは中洲川端です
天神はどこですか　　ここをまっすぐです

こんなところに水兵さん
ここは港も近い
今では船で二、三時間あれば
国と国を渡れるらしい

それから　又　自転車を走らせながら
たくさんの名を使ったペソアの他の名前を思い出そうとしていたが
昔　リュックを背負って歩いた
ポルトガルの坂道から海を見たのを思い出していた
坂道の途中
おなかがすいてパン屋を覗いて見ていると
半ズボンの少年がパンを盗んで逃げ出して
坂道の向こうへ行ってしまった

ああ　そうだった

〝無が無をのこす、無だ
ぼくらは……かたりをかたるものがたり　無だ〟
リカルド・レイス

家に帰り着くと
イムジン河を歌っていた人が首を吊ってなくなったということを知った
見えない歌が目の前を通り過ぎていく
坂道を走ったあの半ズボンの少年のように

ああ　そうだった
そうだった
〝無が無をのこす、無だ
ぼくらは……かたりをかたるものがたり　無だ〟

さかみちととうげ

ぼくたちのちがいは
さかみちととうげのちがいににている
さかみちはこえることではなく
とうげはこえてもこえてもある
さかみちはさかみちのとちゅうがあり
さかみちのおわりがとうちゃくてんであるかもしれない
とうげはこえることにいっしんふらんであっても
むこうにくだることがぜんていにある
ぼくたちのちがいは
きっとそこにある

蔵の中

蔵の中を覗いたような湿った空気
畳の上のからくり人形がつついたのは
そこの見えない暗がりで
和蠟燭の花が溶け出したとしても
点いた火は消えそうもない

階段はきしんでいる
降りたり上ったりをくりかえす
きみはぼうしをまぶかにかぶって
つののはえかけた
ひとりの笛吹きのようで

万華鏡をのぞいているようで
しらぬまに檻の中をぐるぐるまわっている
つきのわぐまのようで

逆さまにして望遠鏡を覗いている目を
蔵の中で見つけたようで

密蝋が密やかに溶け出したとしても
誰も知らない
火が吹き消されたとしても
何も見えない
無き声も聞こえない
蔵の中を覗いたようで

箱庭日記

お手製の箱庭の中
花火の夜に拾った熱の濁った海砂を撒きちらした
息ができない水面から
波紋　砂紋　を　かきわけて

もんもんと　ひびを　かきだした
玩具　灯籠　蓮の花　砂場の戯れ言
すべからく　かたちあるものにうつりゆき
また　波紋　砂紋　しずしずしずと
もとの砂場にかえっていく
二枚貝が素早く垂直に砂に潜っていくように
海　と　砂　にまぎれた箱の中の囲いを忘れて
空から　たびたび見つめた　ひび　われ
地ならしされた箱の真ん中に
なぜだかぷろぺらをおいた
箱の中にしては大きな灰色のぷろぺらだ
そこから黄色い飛行船がじかんの砂蒸しにむかって
飛んでいくような風景がひろがり
そのしたで海の中道がつづいていた
鳥の目がとおくから
ちいさきものをみつけ駆け寄るように
狩られて流された鹿の角が刻まれるまえの
ましろなとおてんぽおるのように

海に浮かぶのを追うように
じかんの中を　とびまわる　ひび　われ

仮説

仮説を立ててみた
もしかして
昨日死んだかもしれない自分を
今日の自分が知らないだけかもしれないと
悪魔も神も秘密結社も聖書もクラーンも念仏も
信じないものは
地獄にも天国にも行かないで
半永久的な仮説を立て続けると
もしかして
この宇宙は
すでに存在していないのだが

幻想だけが浮かんでいて
時折
明日の自分が
何かがあったような気がしているだけなのだと

空白

空白を埋めるまでもなく
白く染まっていましたが

目にうつるものは
ふりつづける

真空の砂時計の白い砂の
最後の一粒であり

最初の一粒かもしれない
などと思いながら

空白を埋めもせず
でんぐり返りをして吐きそうになる

そらぞらしく　下を向いたまま
吐きだした空白のさけめ

白い砂を落として
埋めて行く　白い骨を無くさぬように

よのなか

よのなかをぎょうしゅくしているのだ
と

だれかがいった

しをろうどくして
なにとたたかっているのか
だれかのしとたたかっているのか

おのれのしを
つまびらかにして
おのれをしるし

いきのこるのはおのれをつまびらかにしたしだ
と
だれかがいった

そのとおり
まいにちがきせきで
かせきになってもしにつづけるのだ

されど
きみ
おのれはきみをわすれずにしにつづけるのだ

心臓が動くたびに

心臓が動くたびに
一秒を要するとするならば
いきものは
幾度のたびをするのであろう

一秒のたびごとに
血が身体をめぐるならば
傷をなめまわすように流れる血は
世界の果てにたどり着いたものたちであろう

心臓は地球の真中を核にした
柔らかい林檎の果肉であるならば
脳は地上にはい出した
乾いた胡桃であるだろう

心臓が動くたびに
林檎は赤い血のようにとめどなく落ちて
地球が動くたびに
胡桃は硬い殻をかち割るように締め付けられて

心臓が動くたびに
つかれたものは
赤から青へ次第に変わって行く
血脈を測ることもしないで
地上に流れ出してくる
赤黒いヘモグロビンの固まりのような
マグマの夢精など
みようともしないで

ヘモグロビンの赤い一生は
朝日と夕日に挟まれた
一秒のたびの途中で
青い影を帯びて行く

紫の心臓に戻って行く
宇宙塵が風に舞い降りて来たら
墓場からはい出したものたちは
また一秒のたびに戻って行くのだ

循環無限

割り切れず循環無限繰り返し
小数の上には目印の点があり

割り切れず循環無限繰り返し
戦いの上には目印の的があり
割り切ったようなかおをして
小数点以下は無限の無言行列
割り切ったようなことを言い
小数点以上は繰り上げられて

まんねんのおおだい

まんねんのおおだいにのりたいと
こだいのもうそうをはたらかせる
みたことのないせかいは重なっていて
すぐよこで　ねころがっていたりもする

携帯できるせかいは限られて
携帯できないせかいも限りがないと

誰に言えるであろう
言葉が違うだけでせかいは　すこしずつ

ずれてはいるが
そのずれさえも　どこかで重なっていて

すこしずつ　すこしずつ
すれてはいるが　重なっていて

まんねんのおおだいにのり
すこしずつ　すこしずつ　変わっていって

勝手にかぞえて二千年
まだまだ　変わっていって

株にふりまわされもせず
まだまだ　変わっていって

まんねんのおおだいにさしかかるころ
滑稽なみれにあむは　わすれさられ

まんねんのおおだいにのって
きのねっこをさがしだしていたり

ごぼうもきぼうも
ほりおこしたりして

くえるものか　くえないものか
きのねっこをくちにしてみたり

かみくだいてみたりする
まんねんのおおだい

あとがき

道々日記という日記を毎日書いていた。日々のことだけでなく、昔も今も未来も夢もすべて重なり合った上で時を刻んでいたのだ。道すがら、思い思いしながら、歩くように、走るように、立ち止まるように、座るように寝転ぶように。日々を重ねていったものが一人の人であるように、一つの言葉であるように、一冊の本であるように書き連ねていったのだ。毎日が即興。そこで生まれてきたものこそ、私であるのだというように。子供の頃、父の仕事の関係でイランに住んでいた。そこで起こったイスラム革命前後の劇変、イラン・イラク戦争前後の激変、人を人と思わない爆撃の後、人が人である証のような祈りがあった。その影、影。影を見るように生きていた。それから、日本に帰ってきてからというもの、この影との対話が始まった。いつの間にか、言葉なくしては自分ではいられなくなっていた。影との対話には、言葉がどうしても必要であった。夢がイメージをぼんやりと表し、言葉がそれをなぞっていく日々が始まった。日記は、自分への手紙のようであった。語りかけるものは、影でありながら、見えない自分の輪郭でもあった。いつも生と死の間にいるようで、彼の国とこの国は同時代にありながら、どこかかけ離れていて、影はいつまでたっても生きている私から遠くにいるようで近くに寄り添っていた。今ここでもそうであった。私は生きていながら死んでいる。死んでいながら生きている。影のように蠢きながら、地面に這いつくばって生きていたのだ。

子供が生まれて、その影を追うことよりも、影と対話するよりも、影ではなくそのものと対面することを選んだ。影ではなく存在を。今は、影よりも生を見ているような。

そんな時、茅葺に出会い、茅葺職人となり、よりその存在との対面が加速されていった。思ったことは、存在していた。思いの先に、存在を感じていた。生の存在を。

茅葺職人仲間上村さんと独立して、しばらくして、広島で仕事を依頼してくださった方々、美山の茅葺の里などでお世話になった方々にお会いしながら、以前、茅葺職人を目指して研修をさせていただいた魚沼にも、お礼参りに伺う途中に、茅葺の屋根の白山神社に立ち寄った時のことである。影よりも光を見ている、天翔ける雲や光に神が宿る瞬間を心に映すように写真を撮られている方に出会った。日の光を見ることを教えてもらった。その方は、天と地をつなぐものを感じて欲しいとおっしゃっていた。

自分にとって、天と地をつなぐのが、言葉であり、生の喜びを映す日の光のようであった。道々出会う、全てを受け入れ、そのままで、あるがように。そこにあるもの。

最後に、出版に際して、深く読み込み、丁寧に助言してくださり、大変お世話になった石風社の福元満治氏、学生時代ピアノを優しく教えてくださった甲斐先生のご子息で、石風社ともペシャワール会ともご縁があった作家で画家の甲斐大策氏、父、母、いとおしい家族、茅葺仲間や文学仲間とりわけ茅葺屋根を守ってくださった川下りの大東エンタープライズの工藤先生と柳川文芸誌「ほりわり」の方々、文化の守り神のような亀の井別荘の庄屋サロンの中谷健太郎氏とその御一家、平野美和子氏、友人と読んでくださった方々に心から感謝しつつ、これからも魂のようなものを言葉と茅葺屋根に葺き込んでいきたい。

二〇二一年三月吉日

野田明子（のだ・あきこ）

1970年福岡生まれ。幼少時、警察官であった父の仕事の関係で、イスラム革命前後、イラン・イラク戦争当時の中東のイランに滞在し、日本に帰国。西南大学文学部児童教育学科卒業後、写真屋、一般事務、養護学校、鍼灸院の助手、介護、公民館勤務の後、茅葺の家に住みながら百姓をしつつ、詩や小説を書き自然の中で暮らせるよう探していたところ、茅葺職人の仕事に出会い、大分の日田に移住し、生業となり、今に至る。

詩集　蜜蝋の花

二〇二一年四月十三日初版第一刷発行

著　者　野田明子
発行者　福元満治
発行所　石風社
福岡市中央区渡辺通二―三―二十四
電　話　〇九二（七一四）四八三八
FAX　〇九二（七二五）三四四〇
http://sekifusha.com/

印刷製本　シナノパブリッシングプレス

ISBN978-4-88344-300-0